SV